CACHORRITOS

CHISPAS

Conoce a todos los perritos de la serie Cachorritos.

Canela
Copito
Sombra
Golfo
Chico

CACHORRITOS

CHISPAS

SCHOLASTIC INC.
New York Toronto London Auckland Sydney
Mexico City New Delhi Hong Kong Buenos Aires

Originally published in English as *The Puppy Place: Flash*
Translated by Madelca Domínguez

If you purchased this book without a cover, you should be aware that this book is stolen property. It was reported as "unsold and destroyed" to the publisher, and neither the author nor the publisher has received any payment for this "stripped book."

No part of this publication may be reproduced, stored in a retrieval system, or transmitted in any form or by any means, electronic, mechanical, photocopying, recording, or otherwise, without written permission of the publisher. For information regarding permission, write to Scholastic Inc., Attention: Permissions Department, 557 Broadway, New York, NY 10012.

ISBN 13: 978-0-545-09375-0
ISBN 10: 0-545-09375-9

Text copyright © 2006 by Ellen Miles
Translation copyright © 2008 by Scholastic Inc.
All rights reserved. Published by Scholastic Inc. SCHOLASTIC, SCHOLASTIC EN ESPAÑOL, and associated logos are trademarks and/or registered trademarks of Scholastic Inc.

12 11 10 9 8 7 6 5 4 3 2 1 8 9 10 11 12 13/0

Printed in the U.S.A.
First Spanish printing, December 2008

A Bec, Larry y Body

—E.M.

CAPÍTULO UNO

—¡Estoy lleno! —dijo Charles tocándose la barriga—. No puedo comer más.

—¿De veras? —preguntó la tía Abigail—. Entonces, ¿no comerás pastel de chocolate?

—Bueno —dijo Charles—, quizás un pedacito.

Charles miró hacia abajo al cachorrito que estaba a sus pies. Quería comer postre, pero también se moría de ganas por salir a jugar con Chico, que esperaba pacientemente a que terminara la cena del Día de Acción de Gracias.

—A lo mejor también quieres probar el pastel de manzana y el dulce de arándanos.

—Sí —dijo Charles—, todavía me queda espacio para el postre.

Charles nunca decía que no al postre. ¡Y los postres de la tía Abigail eran los mejores! Su tía había estado a cargo de la repostería en un hotel muy elegante de la ciudad de Nueva York, así que sabía muy bien lo que hacía.

Ahora, ella y su tío Stephen vivían en el campo. Hacía seis meses que habían dejado la ciudad y se habían mudado a una vieja granja que quedaba al final de una larga carretera rural. Sus tíos llevaban una vida muy ocupada en el campo. La tía Abigail trabajaba en la vieja cocina de la casa horneando pasteles que vendía en la tienda del pueblo y el tío Stephen trabajaba en su computadora en el segundo piso de la casa en el mismo negocio que tenía en la ciudad. "Es el mismo trabajo, pero con una vista mejor", decía el tío Stephen.

La familia Peterson había visitado la granja anteriormente, pero esa era la primera cena del Día de Acción de Gracias que celebraban allí. Los padres de Charles, su hermana mayor, Lizzie, su hermano pequeñito, Frijolito, y Chico, el cachorrito, habían hecho el viaje en la furgoneta de la familia, ya que en la camioneta roja del Sr. Peterson no cabían todos. La familia había viajado lo que parecía una eternidad, haciendo una parada cada hora para que Chico caminara un poquito e hiciera sus necesidades.

El viaje había sido muy aburrido. ¿Durante cuántas horas se puede jugar bingo con las placas de los autos? Pero Charles pensaba que había valido la pena si podía ver a sus primas. O por lo menos había valido la pena para ver a Becky, que tenía su misma edad. Los dos estaban en segundo grado. Becky era simpática y muy valiente. Se trepaba al árbol más alto del jardín, nadaba en el riachuelo frío y montaba su bicicleta loma abajo. A Becky le encantaban los misterios y jugar a los detectives. También le gustaba mucho su nueva casa en el campo.

Por otra parte, Stephanie, la hermana mayor de Becky, era un poco fastidiosa. Estaba en quinto grado y creía saberlo todo. Como Lizzie, pensaba Charles. Quizás todas las hermanas mayores eran iguales. Stephanie odiaba vivir en la granja y no paraba de decir cuán aburrido era el campo y cuánto extrañaba las tiendas de la ciudad y los buenos restaurantes chinos.

Si algo era aburrido, pensaba Charles, era tener que escuchar una y otra vez lo maravilloso que era Nueva York. Stephanie se la pasaba diciendo que Macy's era la tienda por departamentos más grande del mundo, que el equipo de los Knicks era fenomenal y bla, bla, bla.

A Lizzie no parecía molestarle Stephanie. Charles creía que eso se debía al hecho de que su hermana y Stephanie eran muy parecidas. Además, las dos adoraban los caballos y podían pasar todo el tiempo hablando sobre ese tema.

Camino a la granja, la mamá de Charles había dicho que debían ser amables con Stephanie porque la chica no se había adaptado aún a su nueva vida. Era cierto que Stephanie solía ser mucho más divertida cuando la familia Peterson visitaba a sus primos en la ciudad de Nueva York, y hasta los había ayudado en una ocasión a conseguir autógrafos de algunos de los jugadores de los Yankees cuando las dos familias asistieron a un juego de béisbol.

De tomas formas, Charles prefería estar con Becky. Juntos se divertían mucho jugando con Chico. Becky no podía creer la suerte de su primo, ¡finalmente tenía su propio perrito!

A Charles también se le hacía difícil creer que Chico fuera de ellos para siempre. La familia Peterson había cuidado muchos cachorritos, proporcionándoles un hogar hasta encontrarles un lugar definitivo donde pudieran vivir. Sin embargo, Lizzie, Charles y Frijolito nunca habían podido tener su propio cachorrito. Hasta que apareció Chico.

La familia Peterson había cuidado a Chico y sus dos hermanas cuando eran muy chiquititos y todos se habían enamorado del precioso cachorrito. Chico era el más pequeño de la camada y mucho más tímido que sus hermanas, así que necesitaba mucho cuidado.

Chico era casi todo de color marrón claro, con algunas manchas color canela y una mancha blanca en forma de corazón en el pecho. Era el perrito más dulce, inteligente y simpático del mundo. Charles no se cansaba de jugar con él, le encantaba sujetarlo y observarlo mientras desayunaba o mordisqueaba un juguete.

Tan pronto terminó la cena, Charles y Becky pidieron permiso para retirarse de la mesa.

—Vamos a llevar a Chico a pasear —dijo Charles.

Chico saltó tan pronto escuchó esa palabra. Movió la cola tan fuerte que su cuerpo se estremeció.

—Espera, espera —dijo Charles riendo cuando Chico le lamió la cara mientras él trataba de ponerle la correa.

Una vez afuera, Chico iba de un lado para otro tratando de descubrir los nuevos olores. Estaba prácticamente oscuro y el aire se sentía limpio y frío.

—Juguemos a que Chico es un pirata que nos lleva hasta un tesoro escondido —sugirió Becky.

—Porque capturamos su barco —añadió Charles, que entendió enseguida el juego—. Y ahora deberá mostrarnos el lugar donde escondió el tesoro o tendrá que vérselas conmigo.

Chico era un "pirata" muy cómico. El perrito olfateaba cada cosa que se encontraba en su camino. Tenía la correa enmarañada cuando se disparó a correr por el jardín.

—Espera —dijo Charles mientras Chico corría hacia la casa.

—¡Mira! Otro barco pirata —dijo Becky señalando un auto que se acercaba por la polvorienta entrada que conducía a la granja. Las luces alumbraron la casa y el auto se detuvo justo al lado de Charles y Becky, cerca de la puerta principal.

Una señora salió del auto. Llevaba en sus brazos, envuelto en una sábana, un bulto que se retorcía. Charles no se imaginaba qué podía ser.

La señora comenzó a hablar muy rápido.

—Disculpen que deje a Chispas de esta manera, pero estamos muy apurados —dijo atropelladamente—. El papá de Murray se ha enfermado y debemos marcharnos antes de lo previsto. De hecho, tendremos que manejar durante toda la noche. Por supuesto que ha recibido todas las vacunas y lo hemos llevado al veterinario, como podrán ver en su chapa. Ay, se me olvidó el collar. Bueno, de todas formas estoy segura de que será una excelente ayuda para ustedes y que este será un buen hogar...

—Dot, apúrate —dijo una voz dentro del auto.

—¡Esta bien! —La señora le dio un beso al bulto—. Te extrañaré mucho, Chispas.

Lo puso en el piso y se metió en el auto.

—Es un poco tímido, pero si le dan un poco de tiempo verán qué simpático es.

Eso fue lo último que dijo la señora. Un minuto después, el auto desapareció dejando a Charles y a Becky con la boca abierta. Chico intentó acercarse al bulto.

—¿Quién era esa gente? —preguntó Charles.

—No tengo idea —dijo Becky. Dio un paso y desenvolvió la sábana.

—¡Mira! —dijo Charles.

En el piso estaba el cachorrito blanco y negro más lindo que Charles había visto.

CAPÍTULO DOS

Chispas no era pequeñito como Chico. Tenía el pelo lustroso, las patas largas y la nariz respingada, pero Charles se dio cuenta enseguida de que se trataba de un cachorrito por la manera en que saltó de la sábana. Era blanco y negro, tenía el rabo peludo y unos hermosos ojos negros. Era obvio que a este perrito le habían dado cariño y lo habían cuidado.

—¡Qué lindo! —dijo Becky sacando una mano para acariciarlo.

Charles vio que el cachorrito dejó caer el rabo y se dispuso a correr.

—Espera —le dijo a Becky agarrándole la mano—. Esa señora tenía razón. Este perrito es un poco tímido.

Chispas olfateó y se puso alerta, dispuesto a descubrir quiénes eran estas personas. Era importante saberlo todo y estar siempre listo para correr.

—Entonces, ¿qué hacemos? —preguntó Becky.

—Acércate despacio para no asustarlo —dijo Charles.

Charles se agachó y sujetó a Chico para que el cachorrito no se abalanzara y asustara al perrito blanco y negro.

¡Oye, espera! Quería saludar a mi nuevo amigo.

Chico lamió la cara de Charles. Algunas veces cuando hacía eso, Charles se reía y lo soltaba. Pero eso no fue lo que sucedió. Charles y Becky dieron unos pasitos cortos tratando de acercarse al cachorrito. Este retrocedió y los miró fijamente. Movía el rabito de un lado a otro muy lentamente.

—Chico —dijo Charles molesto, tratando de sujetar a su cachorrito, que no dejaba de moverse.

Charles intentó agarrar la correa de Chico, pero fue demasiado tarde. Chico salió corriendo. El cachorrito blanco y negro, con el rabo entre las patas, salió disparado hacia la cerca que rodeaba el camino de entrada. Se detuvo detrás de un poste y los miró asustado.

—¿Y ahora qué? —preguntó Becky—. ¿Crees que deberíamos buscar a los demás? ¿Quizás a Stephanie y Lizzie?

—De ninguna manera —dijo Charles—. Si Lizzie se mete en esto, se pondrá a dar órdenes.

Becky asintió.

—Stephanie haría lo mismo. Y son peores cuando se juntan. Se pondrán de acuerdo y no nos dejarán hacer nada.

Lizzie pensaba que lo sabía todo acerca de los perros. Pero Charles creía que él también sabía un poco.

—Creo que nos las podemos arreglar solos.

—Está bien. Entonces, ¿qué debemos hacer? —preguntó Becky lista para ponerse en acción.

Charles pensó por un segundo.

—Tratemos esto —dijo—. Nos alejaremos caminando hacia el granero, como si él no nos importara y tuviéramos algo más interesante que hacer. Eso funciona algunas veces con Chico cuando estamos en el patio y no quiere venir cuando lo llamo. En cuanto me doy la vuelta, viene corriendo detrás de mí.

—Está bien —dijo Becky—. Haremos como que no nos importa. Creo que vale la pena intentarlo.

Becky y Charles le dieron la espalda a Chispas y comenzaron a caminar hacia el granero. Chico iba delante con el rabo parado y sacando el pecho.

Chico no sabía hacia dónde se dirigían ni por qué, pero quería tomar parte en el asunto. Así que iría con ellos.

Charles echó un vistazo por encima del hombro.

—Está funcionando —le susurró a Becky—. Nos está siguiendo.

El cachorrito blanco y negro los estaba siguiendo con una mirada curiosa en sus ojos brillantes.

Bien hecho, Chispas. Justo lo que necesitabas. Ahora tendré que seguir a esta gente. Me aseguraré de que se mantengan juntos y no se detengan.

El perrito los siguió hasta el granero oscuro con olor a moho.

—Estupendo —dijo Charles bajito—. Ya está adentro y no podrá escapar. Si hubiera corrido hasta la carretera principal, lo podría haber atropellado un auto.

—Lo podremos llevar hasta un lugar aun más seguro —dijo Becky—. Hay un establo de caballos justo al final. Papá dijo que quizás algún día sea para el caballo de Stephanie. —La chica tanteó la pared—. ¿Dónde está la luz?

Finalmente, Becky encendió la luz. En la penumbra, Charles divisó cerca de la puerta un tractor rojo muy viejo.

—Espero que Chispas nos siga hasta el final —dijo Charles—. Espera, voy a amarrar a Chico para que no moleste.

Charles amarró la correa de Chico al volante del tractor. El cachorrito aulló débilmente.

Oye, ¿por qué me amarras? ¡Quiero ir a jugar con mi nuevo amigo!

Pero cuando Charles le dijo que se estuviera quieto, Chico se sentó y lo miró con ojos esperanzados. Charles metió la mano en el bolsillo y sacó unas galletas para perros.

—Ahí tienes —le dijo a Chico—. Bien hecho.

El entrenamiento de Lizzie estaba dando resultados. Los dos hermanos entrenaban al perrito todos los días durante un corto período de tiempo. Ya Chico se comportaba mejor que muchos perros adultos.

Charles miró hacia atrás al cachorrito blanco y negro.

—Quizás a Chispas también le gustan las galletas —dijo y se quedó con algunas en la mano.

Charles y Becky caminaron hacia el fondo del

granero. Chispas los seguía de cerca con la cabeza baja y el rabo parado.

—Ahí está el establo —susurró Becky señalando una puerta de madera.

—Métete adentro —le dijo Charles a su prima, y abrió la puerta.

Charles entró en el establo detrás de Becky y sujetó la puerta. El cachorrito metió la cabeza por una esquina e inspeccionó el lugar. Charles y Becky se quedaron muy quietos. Entonces, Chispas entró lentamente, midiendo cada uno de sus pasos.

En cuanto el cachorrito entró en el establo, Charles cerró la puerta.

Al escuchar el ruido de la puerta, Chispas trató de escapar, pero no tenía por donde salir. El cachorrito miró a Charles y a Becky muy asustado.

Nunca se había sentido a gusto con extraños. La mayoría de las personas eran agradables, pero no podía confiarse. Chispas deseó que sus amigos volvieran a sacarlo de este lugar. No le gustaba estar encerrado.

—No te preocupes —dijo Charles bajito—. No te haremos daño.

Muy suavemente, extendió la mano en la que llevaba las galletas.

Chispas pestañeó y dio un paso.

Charles aguantó la respiración. Le temblaba la mano un poquito. La señora había dicho que Chispas era un perrito cariñoso, pero nunca se sabía lo que podía suceder con un perro desconocido. Era mejor tener cuidado. El cachorrito dio tres pasos y tímidamente tomó una galleta de la mano de Charles. Después, se sentó y se la comió.

—Bien hecho —dijo Charles y se volvió hacia Becky—. Todo va a salir bien. Ahora solo debemos averiguar por qué este perrito está aquí.

—Es todo un misterio —dijo Becky muy emocionada.

CAPÍTULO TRES

—Un misterio —repitió Charles mirando a Becky y a Chispas—. Tienes razón.

El cachorrito se había calmado un poco. Estaba sentado en una esquina del establo y no dejaba de mirar a Charles y a Becky como si entendiera lo que decían. Tenía una oreja parada. Era un perrito muy lindo.

—Bueno, sabemos que te llamas Chispas —dijo Becky.

—Y que eres un cachorrito macho —dijo suavemente Charles.

Chispas extendió una patita.

Era agradable escuchar su nombre. Quizás estos niños no fueran unos desconocidos después de todo. Quizás debería confiar en ellos.

Chico comenzó a aullar desde el otro lado del granero. No le gustaba estar lejos de Charles.

—Ya voy, Chico —dijo Charles y se volvió hacia Becky.

—¿Qué hacemos ahora? —preguntó.

Becky pensó por un minuto.

—No le digamos nada a nadie. Mantengámoslo aquí y tratemos de descubrir quién eran esas personas y por qué lo trajeron hasta aquí.

A Charles le pareció una buena idea. Era exactamente lo que habría dicho Sammy, su mejor amigo.

—Me encanta la idea —dijo—, pero deberíamos traerle algo de comer. La única comida para perros que hay en la casa es la de Chico, así que no tendremos otro remedio que darle comida normal. —Charles hizo una pausa—. También debemos conseguir una manta. Pero ¿cómo podremos sacar todo eso de la casa sin que nadie nos vea?

Becky se echó a reír.

—Estoy segura de que nuestros padres se han quedado dormidos en el sofá. Stephanie y Lizzie seguramente están en la sala viendo alguna película y nuestras mamás deben de estar sentadas cerca de la chimenea, conversando.

Charles asintió.

—Probablemente tengas razón. Y Frijolito debe de estar dormido. Así es como casi siempre termina la cena del Día de Acción de Gracias. Es posible que ni se hayan dado cuenta de que no hemos regresado.

—Para estar seguros —dijo Becky—, ¿qué te parece si vas y los distraes mientras yo busco comida en la cocina? Después podemos regresar juntos hasta aquí.

—Está bien —dijo Charles.

Charles no tenía la menor idea de qué podría hacer para distraer a su familia, pero Becky parecía estar muy segura de que lo lograría. Quizás podría contarles su último chiste. Eso sería perfecto. Su mamá y su papá solo lo habían escuchado unas cuatro o cinco veces durante el viaje a la granja.

—Volveremos pronto —le dijo Charles a Chispas.

El perrito aún no se dejaba acariciar, pero parecía haberse dado cuenta de que Charles y Becky lo ayudarían. Así que suspiró suavemente y se acurrucó sobre el heno.

Chico se puso tan contento al ver a Charles de nuevo que se puso a dar vueltas mientras este lo desamarraba. Después, le lamió las manos a su dueño muy contento.

—Bien hecho, Chico —dijo Charles.

Becky y Charles se separaron al entrar en la casa. Charles se encaminó a la sala y encontró la escena que se había imaginado. Su papá estaba roncando en el sofá azul y su tío Stephen en el sofá de flores, mientras Lizzie y Stephanie miraban una película. Chico saltó al regazo de Lizzie cuando Charles se asomó a la puerta. La Sra. Peterson y la tía Abigail estaban sentadas cerca de la chimenea, conversando en voz baja. La única sorpresa que se llevó Charles fue que Frijolito se había quedado dormido encima de su tía y no encima de su mamá. No parecía que nadie necesitara distracción, pero Charles tenía una misión que cumplir. Así que se dispuso a comenzar.

—Hola, mamá —dijo—. ¡Toc, toc!

La Sra. Peterson suspiró. Algunas veces, Charles tenía la sensación de que ella no quería escuchar sus chistes. Pero ¿cómo podía ser? Él siempre trataba de inventar chistes nuevos. No era que siempre repitiera los mismos. Bueno, al menos no los repetía muchas veces.

—¿Quién es? —dijo la tía Abigail.

—Acerca —dijo Charles.

—¿Acerca quién?

—Acércate un poquito y te lo diré —dijo Charles esperando que su tía se echara a reír.

Pero en vez de eso, la tía Abigail se echó hacia delante y miró hacia la cocina.

—¿Qué es ese ruido? —preguntó.

Charles escuchó un estruendo. A Becky debió habérsele caído algo. El chico tragó en seco.

—Es Becky —dijo rápidamente—. Dijo que prepararía algo de comer.

Charles mintió. Becky estaba buscando comida, pero no para ella.

—¿Cómo es posible que tenga hambre? —dijo la Sra. Peterson pasándose la mano por la barriga—. Yo todavía estoy llena.

Charles alzó los hombros.

—Bueno, voy a ver qué le pasa —dijo mientras comenzaba a salir de la habitación.

Este trabajo de distraer a los demás lo ponía muy nervioso. Además, se moría de ganas de regresar al granero para ver a Chispas.

—Ah, otra cosa —dijo mirando a la tía Abigail—, ¿conoces a alguien que se llame Murray?

—¿Murray? —dijo la tía Abigail pensativa—. ¿Te refieres al hombre calvo que lleva el pan a la tienda?

—Quizás —dijo Charles. No había podido mirar bien al señor del auto—. ¿Vive cerca de aquí?

—No lo sé —dijo la tía Abigail—. Puede ser que la Sra. Daniels, la que trabaja en la tienda, lo sepa. —Miró a Charles curiosa—. ¿Por qué me lo preguntas?

—Bueno —Charles no sabía qué decir. Por suerte, en ese momento se escuchó otro estruendo en la cocina—. Por nada. Voy a ayudar a Becky —dijo retrocediendo y saliendo de la habitación.

Por poco lo agarran.

—Oye —dijo Charles al entrar en la cocina—, no me pidas que vuelva a hacer eso otra vez.

Becky iba cargada con una manta, un cuenco de metal, un galón de agua y un contenedor plástico lleno de restos de pavo.

—Ya lo tengo todo —dijo—. ¿Crees que sospechan algo?

—No creo —dijo Charles mirando hacia atrás—. Pero salgamos de aquí lo antes posible. Chispas debe de tener hambre.

Charles tenía razón. El cachorrito se tragó tres pedazos de pavo en un abrir y cerrar de ojos. Después miró ansioso a Charles y Becky como pidiéndoles más.

Al menos tienen muy buena comida en esta casa. Y este lugar es muy agradable. A Chispas no le gustaba estar encerrado, pero ya encontraría la manera de escapar. Quizás entonces podría regresar a su casa. Mientras tanto, siempre y cuando estos chicos siguieran trayendo comida, se quedaría con ellos por un tiempo.

Cuando Chispas terminó de comer el pavo, se acercó a Charles y Becky. El perrito les acarició las manos con el hocico y hasta le lamió la mejilla a Charles. Los chicos se sentaron por unos minutos en una esquina del establo, acariciaron al cachorrito y hablaron sobre cómo resolverían el misterio. Después, se apresuraron a regresar a la casa, antes de que los demás se dieran cuenta de que estaban fuera.

CAPÍTULO CUATRO

Becky puso la alarma para las seis de la mañana. Así ella y Charles podrían levantarse e ir a darle de comer a Chispas antes de que el resto de la familia se despertara. La chica fue en puntillas hasta la sala donde Charles dormía en el sofá y lo despertó. Por suerte, Chico se había quedado a dormir en la habitación de Stephanie, junto a Lizzie.

Todavía estaba oscuro cuando salieron de la casa. También hacía frío. El aliento de Charles formaba nubes blancas. El chico metió las manos en los bolsillos de su chamarra para calentarlas.

Becky llevaba una linterna que usaron para alumbrar el camino hasta el establo donde se encontraba Chispas.

—Hola, Chispas —dijo Charles suavemente—. Buenos días.

Chispas se despertó al escuchar la voz. Estaba contento de volver a ver a los chicos. Habían sido muy amables con él y le habían llevado una comida deliciosa. Quizás también ahora tuvieran algo delicioso.

Cuando abrieron la puerta del establo, Chispas saltó y se acercó a oler las manos de Becky. El cachorrito dejó que la chica lo acariciara.

—Ya no nos tiene miedo —dijo Becky.

—Ahora confía en nosotros —dijo Charles—. Sabe que lo cuidaremos, ¿verdad, Chispas?

—Estoy segura de que le gustará esto —dijo Becky abriendo la tapa de un contenedor—. Son restos del relleno del pavo con puré de papas y salsa.

Chispas se lo comió todo rápidamente y miró a los chicos.

—Más vale que le consigamos comida para cachorritos —dijo Charles—. Alguien se va a dar cuenta si seguimos sacando comida de la nevera. Además, él es un perro. La comida para perros es mejor para él que nuestra comida.

Charles no estaba seguro por qué. La comida de Chico no parecía tan sabrosa como la que le acababan de dar a Chispas, pero la Dra. Gibson, la veterinaria, había dicho que era la mejor comida para un cachorrito.

—Excelente idea —dijo Becky—. Lo haremos cuando vayamos a la tienda.

Eso era lo que los chicos habían decidido la noche anterior. Sabían que un hombre llamado Murray llevaba el pan a la tienda. Era el lugar perfecto donde comenzar su investigación. Si lograban descubrir quién era Murray y adónde había ido, quizás pudieran contactarlo. Estaban seguros de que él y su esposa no habían querido dejar al cachorrito con unos desconocidos.

Charles había traído consigo la correa de Chico.

La sujetó al collar de Chispas y los tres salieron al patio oscuro y frío. El cachorrito no dejaba de tirar de la correa, corriendo de un lado para otro.

—Apúrate, Chispas —dijo Charles—. Por favor, termina.

Estaba a punto de amanecer y aún tenían que regresar al granero.

Finalmente, Chispas terminó.

—Bien hecho —dijo el chico.

Lo llevaron de vuelta al granero y lo metieron en el establo.

—Volveremos pronto —prometió Charles acariciando a Chispas en la cabeza. El cachorrito se pegó a las piernas de Charles y aulló un poquito. El chico no quería dejarlo solo, pero si él y Becky no estaban presentes en el desayuno, sus padres podrían sospechar.

Cuando entraron en la casa, Charles escuchó voces en la cocina. Todos estaban levantados, aunque Stephanie y Lizzie aún llevaban sus pijamas. Chico daba vueltas por la cocina, buscando restos de comida en el piso.

—Sacaré a Chico afuera —dijo Charles. ¿Qué tal si Chispas se ponía a ladrar? Era mejor mantener a todos alejados del granero.

Al regresar, Charles se sentó a la mesa y se dispuso a comer una inmensa porción de pastel de manzana, al igual que su papá y el tío Stephen. El pastel de manzana para el desayuno era una tradición de la familia Peterson a la mañana siguiente del Día de Acción de Gracias. ¡Postre para el desayuno! Charles deseaba que todas las tradiciones familiares fueran así de buenas. Cuando terminó, miró a su prima Becky.

—¿Lista? —preguntó.

Becky asintió.

—Mamá, Charles y yo vamos a salir a caminar —dijo Becky—. Iremos hasta la tienda.

—¿Para qué? —dijo Stephanie haciendo una mueca—. No hay nada en ese lugar, solo matamoscas y latas viejas de frijoles.

—Stephanie, para ya de decir esas cosas —dijo la tía Abigail—. Esa tienda está llena de cosas útiles. Ahí también se venden mis postres.

—Sí —dijo Lizzie—. Me encantan los dulces que venden. Lo cierto es que la tienda no está tan mal.

—Es fácil para ti decir eso —dijo Stephanie molesta—. Tú vives en un lugar donde las tiendas son normales.

—Bueno, vamos hasta allí de todas maneras —dijo Becky.

—¿A qué se debe el apuro? —preguntó Lizzie curiosa.

¡Lo sabía! A su hermana Lizzie no se le escapaba nada.

—No tenemos ningún apuro —dijo Charles alzando los hombros—. Solo queremos salir a caminar un poco.

—Abríguense bien —dijo la Sra. Peterson sin

mirar a Charles. Estaba concentrada leyendo el periódico.

La caminata les tomó solo diez minutos, el tiempo suficiente para que Becky y Charles pensaran un plan. Ya tenían algunas pistas, pero necesitaban más para resolver el misterio.

Charles respiró profundamente y entraron en la tienda, haciendo sonar la campana de la puerta. Los pisos crujían y toda la tienda olía a chocolate, pan recién horneado y muebles pulidos. Lo que la hacía un lugar muy agradable.

Se acercaron a una señora que se encontraba detrás de la caja registradora.

—Hola, Sra. Daniels —dijo Becky—. ¿Tiene pan fresco?

—No —dijo la Sra. Daniels—. La persona que lo trae aún no ha llegado.

Charles asintió. Todo marchaba como lo habían planeado.

—¿Sabe por qué se ha retrasado? —preguntó Becky.

—No lo sé. Murray fue siempre una persona muy puntual, pero el nuevo repartidor de pan aún no conoce bien la ruta.

En ese momento, Charles aprovechó para ir a ver la comida para perros mientras Becky interrogaba a la Sra. Daniels.

—¿Murray? —Charles escuchó que decía la señora—. Hace un par de días que no viene… Y no, no sé cuál es su apellido ni dónde vive. Lo siento.

—Bueno, eso no nos sirvió de mucho —dijo Becky al dejar la tienda.

—Al menos conseguimos comida para Chispas —dijo Charles cargando una bolsa llena de latas que le habían costado su paga de dos semanas—. Vayamos a verlo y después pensaremos qué hacer —dijo Charles ya en la entrada de la granja.

Estaba tan ansioso por ver a Chispas que no se dio cuenta de que Lizzie los espiaba desde una ventana de la sala cuando pasaron frente a la casa.

CAPÍTULO CINCO

Pero Lizzie sí había visto a Charles. Ella y Stephanie corrieron al granero y acorralaron a Charles y a Becky antes de que pudieran entrar en el establo donde se encontraba Chispas.

—Lo sabía —dijo Lizzie—. Sabía que ustedes dos andaban en algo.

Stephanie se acercó a la puerta del establo.

—Vamos a ver —dijo—. ¿Qué tienen aquí?

Charles se puso a protestar. No habían pasado ni veinticuatro horas desde que habían encontrado a Chispas. ¿Cómo se le ocurrió que podía ocultarle un secreto a Lizzie, la chica más chismosa del universo? Siempre tenía que saberlo todo. Y obviamente, Stephanie era igualita a ella.

Charles y Becky se miraron.

—Está bien —dijo Charles—. Me imagino que

lo habrías sabido de cualquier manera. —Abrió la puerta del establo—. Les presento a Chispas —dijo.

—¡Qué lindo! —dijo Stephanie agachándose—. Ven aquí, precioso.

Stephanie le tendió una mano a Chispas. El cachorrito ya se estaba acostumbrando a los desconocidos, así que se acercó a olfatear a Stephanie.

—Bueno —dijo Lizzie—. Esto no era precisamente lo que sospechaba. —La chica estaba muy asombrada—. ¿Desde cuándo tienen a este perrito aquí?

—Hace un rato —dijo Charles.

—Desde anoche —dijo Becky.

Charles le hizo una mueca a su prima. No quería que su hermana supiera demasiado.

—¡Es un border collie muy lindo! —dijo—. Por su tamaño diría que tiene cerca de seis meses.

Lizzie trabajaba como voluntaria en un refugio de animales y sabía mucho de perritos.

—¿Es hembra o macho? —preguntó.

—Macho —contestó Charles. No le sorprendía que Lizzie supiera de qué raza era. Su hermana se pasaba el día estudiando el cartel "Razas de perros del mundo" que tenía en su habitación.

—¿Cómo saben su nombre? —preguntó Lizzie mientras acariciaba a Chispas.

—Nos lo dijeron sus dueños —dijo Becky.

Entonces, Becky y Charles les contaron a Lizzie y Stephanie lo que había ocurrido.

—Pero ¿quién es Murray? —preguntó Lizzie—. ¿Y adónde se fueron él y su esposa? —Lizzie estaba confundida—. Chispas parece un perrito saludable y se ve bien cuidado. Entonces, ¿por qué lo dejaron aquí?

—Eso es lo que estamos tratando de averiguar —explicó Charles—. Pero hasta ahora no hemos descubierto nada.

Charles les contó lo que habían preguntado en la tienda y sobre el señor que repartía el pan.

—Entonces, este perrito necesita un hogar —dijo Stephanie.

En ese momento, Chispas se encontraba prácticamente en el regazo de Stephanie. La chica parecía encantada.

—Ya sé —dijo Becky emocionada—. ¿Crees que mamá y papá nos dejarán...

—No creo —dijo Stephanie moviendo la cabeza—. Dirán que recién nos hemos mudado y que aún no es tiempo de tener una mascota. Lo mismo dicen cuando les hablo de tener un caballo.

—En ese caso, nosotros convenceremos a nuestros padres para que adopten a este perrito temporalmente —le dijo Lizzie a Charles.

—Pero ahora tenemos a Chico —dijo Charles.

—Ya lo sé —dijo Lizzie—, pero mamá dijo que podíamos seguir cuidando perritos que necesitaran un hogar, ¿te acuerdas? —Lizzie se inclinó para acariciar nuevamente a Chispas. El perrito le acarició la mano con el hocico—. Los border collies son muy inteligentes y divertidos. Tenemos que llevarlo a casa con nosotros.

Chispas no estaba seguro de lo que decía la chica, pero sabía que se trataba de él y de que era algo bueno. Aunque aún extrañaba a sus dueños, comenzaba a sentir cariño por estos niños. Pero ya se había cansado de caricias, ahora necesitaba correr.

—Oye, ¿adónde crees que vas? —preguntó de pronto Stephanie.

Chispas saltó y salió por la puerta medio abierta del establo antes de que nadie lo pudiera detener.

—No —gritó Charles al ver desaparecer a Chispas.

—Tenemos que detenerlo antes de que lo vean nuestros padres —dijo Becky poniéndose en pie.

Todos salieron corriendo del establo tras Chispas, pero fue demasiado tarde. El cachorrito había salido del granero y correteaba por el jardín. Corría tan rápido que parecía un destello blanco.

¡Qué maravilla! No había nada mejor que correr. ¡Qué juego tan estupendo! A Chispas le encantaba perseguir cosas, pero también era muy divertido que lo persiguieran a uno. Sentía que el viento le movía el pelo. Era maravilloso estar nuevamente afuera.

—Espera, Chispas. Ven acá —lo llamó Charles tratando de no alzar mucho la voz.

—Por aquí —lo llamó Lizzie.

Los cuatro niños corrieron tras el perrito, pero Chispas no paraba de correr. Parecía no tocar el piso con las patas.

Entonces, Becky se acordó de cómo Charles había logrado que Chispas los siguiera.

—No vendrá si seguimos persiguiéndolo —dijo Becky—. Tenemos que darnos la vuelta y correr hacia el otro lado, entonces él nos perseguirá a nosotros.

—Va a intentar guiarnos —dijo Lizzie emocionada—. Ese es el trabajo de los border collies. Saben cómo guiar un grupo de ovejas de un lugar a otro.

Lizzie comenzó a correr en dirección al granero, haciéndoles una señal a los otros para que hicieran lo mismo. En un segundo, Chispas se dio la vuelta y comenzó a perseguir a los niños.

La estaban pasando tan bien que ninguno de los chicos escuchó cuando la puerta trasera de la casa se abrió.

—Charles, Lizzie —llamó la Sra. Peterson—. ¿Qué están haciendo?

La Sra. Peterson estaba parada en la puerta trasera de la casa con Frijolito en brazos.

—¡Ay! —dijo Charles.

CAPÍTULO SEIS

—Déjennos hablar a nosotras —le dijo Stephanie a Becky mientras se encaminaban a la casa. Chispas iba detrás de ellos, asegurándose de que todos se mantuvieran juntos.

—Tiene razón —le susurró Lizzie a Charles—. Nos escucharán a nosotras porque somos mayores.

Charles y Becky se miraron asombrados.

La tía Abigail había salido también afuera y esperaba junto a la Sra. Peterson.

—Stephanie, ¿qué pasa? —preguntó—. ¿De dónde salió ese perro?

Chispas quería asomarse a la cocina.

¡Ese lugar huele muy bien!

—¿Lo podemos dejar entrar? —preguntó

Stephanie—. Se llama Chispas. Alguien lo dejó aquí en la granja.

Charles vio cómo la expresión de la tía Abigail cambió.

—¿Lo abandonaron? ¡Qué terrible! Una vez escuché que muchas personas abandonaban a sus perros en granjas cuando ya no los querían.

"Abandonado" quería decir que los dueños lo habían dejado solo y eso no fue lo que pasó, pero nadie se atrevió a corregir a la tía Abigail.

—Debe de tener hambre —dijo.

Charles pensó en los restos de comida que Chispas se había comido, además de la comida para perros.

—Bueno... —comenzó a decir Charles, pero Lizzie lo pellizcó y él cerró la boca.

La tía Abigail suspiró.

—Está bien, pero ¿creen que se llevará bien con Chico y Frijolito? —dijo.

Charles sabía que Chico se moría de ganas por jugar con Chispas. Y ahora que el perrito se había acostumbrado a ellos, estaba seguro de que le encantaría jugar con Chico.

—Creo que Chico y Chispas se llevarán muy bien —dijo Lizzie—. Pero quizás deberíamos mantener a Frijolito alejado. No sabemos cómo se comporta Chispas con los niños.

Dejaron entrar a Chispas y cerraron la puerta de la cocina para que no se pusiera a correr por toda la casa.

—Miren esto —dijo el Sr. Peterson levantándose de la mesa con una sonrisa—. ¿Y este perro?—. Se agachó para acariciarlo.

El tío Stephen no parecía tan emocionado. Miró a Chispas por encima de sus lentes y frunció el ceño.

—¿De quién es? —preguntó.

—No lo sabemos —dijo Charles—. Pero creemos que necesita un hogar.

—¿Qué crees, papá? —preguntó Stephanie—. ¿Nos podríamos quedar con él?

La chica tenía abrazado al perrito. Charles se dio cuenta de que su prima Stephanie ya le tenía un gran cariño a Chispas.

La chica era tan amable. Chispas pensó que le encantaría estar sentado a su lado para siempre, especialmente en este lugar tan agradable. Por supuesto, siempre y cuando lo dejaran corretear un poco.

—De ninguna manera —dijo el tío Stephen volviendo a su periódico—. Acabamos de mudarnos aquí.

Stephanie se volvió a su mamá.

—¿Qué crees, mamá? —preguntó.

La tía Abigail negó con la cabeza.

—No lo sé, Stephanie. Ese perrito tiene mucha energía. Lo vi corriendo por el jardín persiguiéndolos a ustedes y no creo que debamos quedarnos con él.

—Un perro como ese debe vivir en una granja de verdad, como la de la familia Barclay —dijo el tío Stephen y se dio la vuelta para hablar con la Sra. Peterson—. ¿Han visto la granja? Es la que está al otro lado de la carretera, siempre tienen alguna oveja perdida.

Charles se dio cuenta de que Stephanie

probablemente tenía razón. El tío Stephen nunca estaría de acuerdo en adoptar un perro, mucho menos uno como este. Vio cómo Becky y Stephanie acariciaban a Chispas. Las chicas se veían tan tristes. Charles se dio cuenta de que su mamá también las observaba.

—Stephen —dijo la Sra. Peterson suavemente—. Quizás deberías intentarlo. Yo no creía que nuestra familia estaba preparada para tener un perro. Sin embargo, ahora estamos muy contentos con Chico.

El tío Stephen negó con la cabeza.

—Me alegro por ustedes —dijo.

De pronto, Charles se dio cuenta de algo que le pareció realmente simpático. Su mamá era la hermana mandona del tío Stephen.

—¿Y nosotros? —preguntó Charles mirando a su mamá.

—No —dijo la Sra. Peterson.

—¿No podemos cuidar a Chispas por un tiempo? Solo hasta que... —dijo Charles.

—Hasta que le encontremos un hogar —dijo Lizzie interrumpiéndolo.

Charles sabía que su hermana temía que dijera algo sobre Murray y Dot. Eso solo complicaría las cosas. Además, ellos querían resolver el misterio por sí solos.

—Es un excelente cachorrito —añadió Charles—. Y sería un excelente amigo para Chico.

—¡Ito! —gritó Frijolito tratando de escapar de los brazos de su mamá.

—Ni siquiera sabemos si Chico y Chispas se van a llevar bien —dijo la Sra. Peterson.

—Llevémoslos afuera y veamos —dijo Lizzie y le guiñó un ojo a Charles.

Charles le guiñó también a su hermana. Él y Lizzie sabían que su mamá se dejaría convencer esta vez. Muy pronto tendrían un nuevo cachorrito que cuidar.

Al finalizar la tarde todo estaba acordado. No solo Chispas y Chico se llevaban muy bien sino que adoraban a Frijolito. El border collie acompañaría a la familia Peterson en su viaje de regreso a Littleton. Y no solo eso, ¡Stephanie y Becky los visitarían el próximo fin de semana!

CAPÍTULO SIETE

De regreso en su casa, Charles y Lizzie trataron de que Chispas se acostumbrara a su nuevo entorno. Muy pronto, el perrito parecía estar muy a gusto. Chico y Chispas pasaban horas jugando en el patio y a Chispas le encantaba guiar a Frijolito por toda la casa. La semana pasó volando y muy pronto llegó el día en que llegarían Becky y Stephanie. El sábado por la mañana, el Sr. Peterson fue a la estación de autobús a recoger a las chicas.

—¿Dónde está Chispas? ¿Cuándo vamos a las tiendas? —preguntó Stephanie en cuanto se bajó del autobús—. Tengo el dinero que me regalaron por mi cumpleaños y me muero de ganas por salir de compras. También tengo muchas ganas de ver a Chispas. Le traje un juguete. Estoy segura de que me extraña mucho.

¡Huy! Charles miró a Becky y la chica alzó los hombros. ¿Se comportaría Stephanie así todo el fin de semana? Era tan mandona de invitada como cuando estaba en su propia casa. Charles había pasado toda la semana pensando en la visita de sus primas y tratando de investigar un poco acerca de los verdaderos dueños de Chispas, pero ahora se sentía un poco atemorizado.

—Chispas está en la casa con Chico —le dijo Charles a Stephanie—. La pasan muy bien jugando todo el día.

—Chispas es tan inteligente —dijo Lizzie—. Ya ha aprendido muchos trucos. Espera que veas lo bien que da la pata. Aprendió en cinco minutos.

—Sí, es inteligente —dijo el Sr. Peterson mientras cargaba las maletas de las chicas hasta la furgoneta—. Quizás demasiado inteligente. Le tomó una hora descubrir cómo escaparse de nuestro jardín por un pequeño agujero que hay en la cerca.

—No lo puedo creer —dijo Stephanie.

—Sí —dijo el Sr. Peterson—. Ese perrito se la pasa corriendo y persiguiendo cosas. Temo que muy pronto se pondrá a perseguir los autos si se lo permitimos.

El Sr. Peterson arrancó la furgoneta y, después de asegurarse de que estaban todos, se dirigió a casa.

—Trataremos de que no se escape —Charles le prometió a su papá—. Chispas es muy bueno persiguiendo cosas. Se puede pasar todo el día recogiendo pelotas. Solo me gustaría que nuestro jardín fuera un poco más grande para que pudiera correr más.

—Por eso hoy quiero llevarlo al establo —dijo Lizzie.

—¿Qué? —dijo Stephanie sorprendida.

—Ay, se me olvidó mencionártelo. Tengo clase de equitación al mediodía, así que no podremos ir hoy de compras —explicó Lizzie. La chica ya le había hablado a su prima de sus lecciones de montar a caballo y sobre Kathy, su entrenadora—.

Pero será divertido. Podrás ver a los caballos y quizás hasta puedas montar. Kathy dijo que podíamos llevar a Chispas para que corra todo lo que quiera.

—Nosotros iremos también —le dijo Charles a Becky—. Así podrás conocer a Golfo.

Charles ya les había contado a sus primas sobre Golfo, un perrito muy travieso que la familia Peterson había cuidado. Habían tratado por todos los medios de entrenarlo para que se comportara bien, pero fue imposible, tenía demasiada energía y una gran personalidad. El perrito terminó viviendo con Kathy y su esposo, Wayne. Los establos eran el lugar perfecto para él. Uno de los caballos se había convertido en el mejor amigo de Golfo.

—Mi amiga María y su papá nos recogerán dentro de una hora —le dijo Lizzie a Stephanie.

—Me parece bien —dijo Stephanie—. Ya sabes cuánto me gustan los caballos. Pero también me encantaría salir de compras.

—Te llevaremos de compras mañana —dijo el Sr. Peterson.

—De acuerdo —dijo Stephanie recostándose en su asiento con una sonrisa de satisfacción.

En cuanto llegaron a la casa, los primos se pusieron a jugar con Chico y Chispas en el patio hasta que llegaron María y su papá.

—¿Cabemos todos en el auto? —preguntó Lizzie cuando los vio—. Chispas y Chico vendrán también.

—¡Yo! ¡Yo! —gritó Frijolito. Le molestaba mucho que lo dejaran en casa.

El papá de María sonrió y contó.

—Seis niños y dos perros —dijo—. Bueno…

—Quizás tú y Chico deban quedarse en casa —le dijo la Sra. Peterson a Frijolito.

La cara del pequeño cambió como si fuera a comenzar a llorar.

—Estoy segura de que Chico te dejará jugar con su pelota nueva —dijo Charles rápidamente.

Becky y Stephanie le habían regalado a Chico una pelota morada y blanca muy suave.

Frijolito se puso muy contento enseguida. La Sra. Peterson le sonrió a Charles agradecida.

—¡Que se diviertan! —dijo mientras se metían en el auto.

Estaban muy incómodos en la parte de atrás del auto, especialmente porque Chispas no paraba de correr de un lado a otro para no perderse ningún detalle. Ahora que Chispas se había acostumbrado a los miembros de la familia Peterson, disfrutaba muchísimo vivir experiencias nuevas.

Qué mundo tan interesante. Hay tanto que ver y explorar. Mira a todas esas personas caminando. Quizás necesitan a alguien que las guíe. Alguien que las ayude a encontrar su camino.

Cuando llegaron a los establos, María los guió hasta el picadero cubierto donde entrenaban a los caballos.

—Seguro que allí encontraremos a Kathy —dijo.

Charles tenía que sujetar fuertemente la correa de Chispas para que el perrito no anduviera de un lado para otro.

El picadero estaba situado dentro de un granero inmenso. Cuando María abrió la puerta, Charles se quedó boquiabierto. Había barras para saltos y era lo suficientemente grande para que doce caballos cabalgaran, aunque en ese momento no había ninguno. Solo estaba el perrito travieso, Golfo.

Tan pronto los vio, el pequeño terrier comenzó a ladrar. Golfo era pequeño, pero muy escandaloso. Charles vio que Kathy los saludó con la mano y Golfo siguió ladrando mientras se acercaban. Chispas no dejaba de tirar de la correa.

—Oye, Golfo —dijo Kathy—. Deja de ladrar y sé amable con nuestros visitantes. —Kathy saludó a los recién llegados—. Este debe de ser Chispas. Qué border collie tan lindo.

Chispas no se estaba quieto ni un segundo. Quería subirse encima de donde estaba subido Golfo. Y Charles también. ¿Qué era? Parecía un sube y baja gigante de color morado con las puntas amarillas. Charles vio a Golfo correr hasta la parte de la tabla que estaba en el suelo. Cuando el perrito llego al medio de la tabla, el sube y baja cambió de posición. Después siguió corriendo en la otra dirección, sin parar de ladrar.

—Increíble —dijo Charles.

Golfo corrió a saludar al chico, olfateó a Chispas y se ganó una palmadita.

—Bien hecho —dijo Stephanie—. Nunca había visto un perro hacer nada semejante.

—La agilidad es un deporte para perros —explicó Kathy—. Consiste en un terreno lleno de obstáculos que los perros deben superar. Este sube y baja es uno de los obstáculos, y Golfo y yo estamos practicando. Mañana vendrán muchos perros y elegiremos al resto del equipo. Tenemos todo tipo de obstáculos para escalar y saltar. ¡A los perros les encanta! —Miró a Chispas—. Especialmente perros como este. Muchos border collies practican este deporte.

—A Chispas le encanta correr —dijo Charles.

—Ya me imagino —dijo Kathy—. Los border collies tienen muchísima energía y son muy inteligentes. Requieren mucha atención a no ser que tengan algún trabajo específico. Son excelentes cuidando ovejas. De hecho, muchos granjeros los crían con ese fin. Aunque hay otras cosas que los border collies pueden hacer. Les encanta perseguir pelotas o discos y también les gusta participar en las competencias de agilidad. ¿Por qué no se animan y vienen a ver los perros mañana? Vendrán muchos border collies con sus dueños.

—Nos encantaría —dijo Lizzie—. Pero ya tenemos otros planes. Quizás en otro momento.

—Está bien —dijo Kathy—. Ahora, ¿por qué no vas y ensillas tu caballo? Es la hora de tu lección.

CAPÍTULO OCHO

Charles se despertó la mañana siguiente pensando en comer caramelos. A Charles le encantaban todo tipo de dulces y se moría de ganas por ir a la tienda de caramelos Dulces Sueños. Por esa razón, no le importaba que Stephanie quisiera ir de compras.

—Hola, Chico —dijo acercándose a darle una palmadita al cachorrito, que estaba tumbado en la alfombra al lado de su cama.

Al principio, Chico era demasiado chiquito para pasar toda la noche sin hacer sus necesidades y por eso dormía en la cocina. La Sra. Peterson lo dejaba salir al menos una vez durante la noche. Pero ahora, Chico estaba totalmente entrenado. Nunca, o casi nunca, tenía un accidente. Así que lo dejaban dormir donde él quisiera. Y casi siempre el cachorrito elegía la habitación de Charles.

Chico le lamió las manos a Charles mientras este le acariciaba las orejas. Después, se levantó y comenzó a mordisquear los dedos de su dueño.

¡Mira eso! Ya es por la mañana, la mejor parte del día. Cuando Charles se levantaba, era hora de jugar. Y después llegaba la hora del desayuno. A Chico le encantaba la mañana.

—Oye —dijo Charles. Chico siempre se desperezaba rápidamente y lo primero que quería era ponerse a jugar. Lo segundo era salir afuera a hacer pipí para después entrar corriendo a la casa a comer—. Está bien, ya voy —dijo Charles saliendo de la cama. Tener un cachorrito era mucha responsabilidad, pero Charles pensaba que valía la pena.

Lizzie, Stephanie y Becky ya estaban en el patio con Chispas cuando Charles y Chico bajaron.

—¡Mira esto! —dijo Lizzie.

La chica hizo que Chispas se sentara y se

quedara quieto. Después, Lizzie dio un paso atrás y le lanzó una pelota. Chispas la atrapó en el aire con la boca. El perrito movía el rabo sin parar y parecía sonreírles a todos.

Charles y las chicas lo felicitaron.

Chispas se tumbó y sujetó la pelota con las patas. El perrito miró el objeto y después a Lizzie, como pidiéndole a la chica que se lo volviera a lanzar.

¡Tírala de nuevo, por favor! ¡Tírala otra vez! Chispas no podía creer lo lentas que eran las personas. Le encantaba jugar con esta chica, pero ¿acaso no se daba cuenta de que quería que le volviera a lanzar la pelota? ¡Ahora mismo!

Chico hizo pipí y dio una vuelta por el jardín, después fue a jugar con su nuevo amigo, Chispas. Los dos cachorritos corrieron por unos minutos.

—¿Has descubierto algo acerca de Murray? —Lizzie le preguntó a Stephanie. Era la primera vez que las primas tenían un momento para hablar privadamente de ese asunto.

—No —respondió Stephanie.

—Le he preguntado a todos mis amigos si alguna vez conocieron a un perro llamado Chispas —dijo Becky—, pero nadie sabe nada.

—Entonces, ¿qué haremos? —preguntó Lizzie.

—Necesita un hogar. Quizás mamá y papá... —comenzó a decir Charles.

—¡No! —interrumpieron las tres chicas a la vez.

En ese momento, Chico pareció recordar que era la hora del desayuno. Corrió hacia la casa y Chispas lo siguió.

En la cocina, el Sr. Peterson estaba haciendo panqueques.

—Tan pronto terminemos de desayunar, los llevaré de compras —dijo.

—¡Estupendo! —dijo Charles mientras ponía comida para perros en dos cuencos.

—Me parece muy bien —dijo Becky. Charles le había hablado a su prima de la tienda Dulces Sueños.

—Bueno, ya no estoy muy segura de querer ir —dijo Stephanie agachándose a acariciar a Chispas—. Chispas no podrá ir con nosotros y creo que no me voy a divertir sin él.

Chispas escuchó su nombre y se dio cuenta de que la chica estaba hablando de él. La miró y le acarició la mano. Quizás muy pronto ella lo volvería a llevar afuera y le lanzaría la pelota.

—Me parece bien —dijo Lizzie. Charles sabía que a su hermana no le gustaba mucho ir de compras. ¿Qué le importaba a ella si él se moría por comer dulces o no?—. ¿Qué quieres hacer entonces? —le preguntó Lizzie a su prima.

—Volver a los establos y ver a los perros —dijo enseguida Stephanie—. Me muero de ganas por ver lo que hacen.

—Excelente —dijo Lizzie. Charles sabía que su mamá le había pedido a Lizzie que fuera muy amable con Stephanie, pero en este caso estaba seguro de que ir al establo era exactamente lo que Lizzie deseaba hacer—. Llamaré a María —añadió Lizzie—. Estoy segura de que querrá venir con nosotras.

—Yo también —dijo Charles pensando que prefería estar rodeado de perros que comer dulces. Sabía que Chico tendría que quedarse en la casa, pero Chispas sí podría venir con ellos porque Kathy lo había invitado.

—Yo también voy —dijo Becky.

—Creo que ahora nos toca a nosotros llevar a cinco chicos y un perro —dijo la Sra. Peterson sonriendo.

Cuando el Sr. Peterson llegó a los establos esa mañana, todos los estacionamientos estaban llenos. Charles escuchó a los perros ladrar tan pronto saltó de la furgoneta.

—¿Escuchas eso, Chispas? —le preguntó al cachorrito que llevaba sujeto a una correa.

Chispas había escuchado los ladridos. Tenía las orejas paradas muy alerta. Se moría de ganas de averiguar de dónde venía tanto alboroto. Así que tiró de la correa.

Vamos, apúrense. Vamos ya.

Charles y Becky siguieron a las chicas al granero, abriendo la puerta con mucho cuidado para que ningún perro pudiera escapar.

—¡Miren eso! —dijo Charles al ver cuánto había cambiado el interior del granero.

Había grandes obstáculos de madera dispuestos por todo el lugar. Vieron un sube y baja como el que habían visto el día anterior, pero también había todo tipo de obstáculos para saltar, un túnel para pasar y un obstáculo con forma de A para que los perros subieran y bajaran. Todos estaban pintados de colores brillantes.

Había perros y también personas corriendo. Los perros se subían y bajaban de los obstáculos, y corrían para llegar a otros. Las personas les daban órdenes y los animaban. Algunos perros ladraban alegremente mientras otros se tomaban sus ejercicios muy seriamente.

Charles se preguntó para qué sería la fila de postes blancos que había en el piso. De pronto, vio un border collie pequeñito y menudo acercarse a los postes. Cuando el dueño los señaló, el perrito corrió entre ellos hasta llegar al final.

—¿Viste eso? —le preguntó Charles a Becky.

La chica asintió. No podía creer lo que veía.

Kathy se acercó a ellos y Golfo la siguió. El perrito tenía los ojos brillantes y no dejaba de mover el rabo.

—Bienvenidos —dijo—. Me alegra mucho que hayan venido. ¿Qué les parece?

—Me parece la cosa más divertida que he visto en mi vida —dijo Stephanie—. Si yo fuera un perro, me encantaría hacer estos ejercicios.

Stephanie no le quitaba los ojos de encima al border collie que ahora estaba dentro de un túnel.

El perrito salió del túnel y superó otros tres obstáculos, tan fácilmente como si fuera un pájaro.

—Estoy de acuerdo —dijo Kathy—. A los perros les encanta y a las personas también. ¿Vieron a ese border collie correr entre los postes?

Los chicos asintieron.

—Ese es uno de los ejercicios más difíciles para los perros —dijo Kathy—. Pero un perrito tan listo como Chispas seguramente lo aprende en un dos por tres.

Kathy se agachó y le dio una palmadita a Chispas. El perrito le lamió la mano, pero sus ojos estaban concentrados en lo que sucedía en el centro del granero.

—¿Crees que Chispas podría hacerlo? —preguntó Becky—. Pero si es tan solo un cachorrito.

—Por supuesto que los cachorritos no pueden vencer todos los obstáculos que tenemos aquí —explicó Kathy—. Por ejemplo, no deben saltar porque sus huesos todavía están creciendo. Pero casi todos estos perros comenzaron a practicar agilidad cuando tenían alrededor de tres meses de nacidos. Los cachorritos pueden comenzar con algo fácil, como pasar por un túnel. Pueden enseñarles utilizando un túnel de juguete para niños. Los tienen en las jugueterías.

Charles sabía que todos ellos deseaban encontrar a los dueños misteriosos de Chispas, pero si eso no sucedía, quizás alguna de las personas que estaban interesadas en las competencias de agilidad podría adoptarlo. Charles estaba seguro de que a Chispas le encantaría la idea.

Definitivamente. Chispas vio a un perro saltar por encima de un objeto redondo que colgaba de unas cuerdas y después lo vio subir y bajar el obstáculo con forma de A. ¡Yo quiero hacer eso!

CAPÍTULO NUEVE

Camino a casa, Charles y Lizzie convencieron a su papá de que los llevara a la juguetería.

—Un túnel sería algo fantástico para Chispas —dijo Charles.

—Lo mantendrá ocupado —dijo Lizzie.

—Está bien —dijo el Sr. Peterson.

—¿Podríamos alquilar una película para ver después? —preguntó Lizzie.

—Sí, nos gustaría ver *Babe, el cerdito valiente* —dijo Stephanie—. ¿Sabían que varios border collies trabajaron en esa película?

—También cerdos que hablan —dijo el Sr. Peterson haciendo una mueca—. Me acuerdo muy bien de eso.

Cuando llegaron a la casa con un túnel amarillo brillante en la parte de atrás de la furgoneta y una copia de la película *Babe, el cerdito valiente* en la mochila de Lizzie, Chispas estaba listo para salir a correr. Chico estaba muy emocionado también. No había salido en toda la mañana.

—Es hora de jugar —dijo Charles y llamó a Sammy para que trajera a Canela, un labrador retriever que la familia Peterson había acogido por un tiempo, y a Rufus, otro labrador de más edad. Los dos perros vivían en la casa de al lado con Sammy, y les encantaba jugar.

Lizzie y Stephanie armaron el túnel en el patio mientras Becky y Charles se aseguraron de que la puerta de la cerca estuviera bien cerrada. Cuando Sammy llegó con Rufus y Canela, todos estaban listos para jugar.

—Déjalos salir —dijo Charles abriendo la puerta trasera de la casa. Chispas y Chico salieron disparados escaleras abajo a saludar a Rufus y Canela. Después, los cuatros perros se pusieron a correr por el patio ladrando alegremente.

Rufus, el perro más viejo de todos, corría

lentamente, moviendo el rabo de un lado para otro. Canela no se separaba de su amigo, pero tenía que trotar para mantenerse al mismo paso que Rufus. Chispas corría tan rápido como un rayo. Le dio tres vueltas al patio antes de que Rufus y Canela le dieran una. Y Chico trataba lo mejor posible de mantenerse junto a los otros perros. Charles no podía parar de reír. Podía pasar todo el día viéndolos correr.

—¿Qué es eso? —preguntó Sammy señalando el túnel.

Charles le explicó a su amigo acerca de las competencias de agilidad.

—Es un deporte muy divertido —dijo—. Deja que veas a Chispas cruzar el túnel.

—Tendremos que enseñarle primero cómo hacerlo, pero dejemos que corra un poco —dijo Lizzie.

La chica sacó de sus bolsillos unas galletas. Cuando los perros finalmente terminaron de correr, les dio una galleta a cada uno. Después, los llamó para que se acercaran al túnel.

—Ahora debemos mostrarles cómo cruzar el túnel. ¡Miren esto! —dijo y se agachó en la entrada del túnel.

Lizzie puso una galleta dentro del túnel y los cuatro perros se metieron al mismo tiempo al túnel y tumbaron a Lizzie.

Stephanie y el resto de los chicos se echaron a reír.

—Hummmm —dijo Lizzie—. Quizás debamos intentarlo con un perro a la vez.

—Chispas debe ser el primero —insistió Stephanie.

Sammy les puso a Rufus y a Canela sus correas y dejó que Becky sujetara la de Canela. Charles sujetó a Chico.

—Debes esperar tu turno —le dijo a Chico en el oído.

Charles observó cómo Lizzie volvía a poner otra galleta dentro del túnel para que Chispas la cogiera. Chispas metió la cabeza dentro del túnel y en un segundo la galleta había desaparecido. A Chispas no parecía intimidarlo el túnel.

—Stephanie, quédate junto a él en la entrada del túnel —dijo Lizzie—. Yo iré por el otro lado y lo llamaré. Veamos a ver si corre hasta donde yo estoy.

Stephanie se agachó en la entrada del túnel y sujetó a Chispas por el collar. Lizzie se paró al final del túnel.

—Ven aquí, Chispas —llamó Lizzie.

Chispas escuchó su nombre y miró alrededor para ver quién lo estaba llamando. ¡Era Lizzie! Esa chica siempre tenía las galletas más deliciosas del mundo. Cuando Stephanie lo soltó, Chispas corrió tan rápido como pudo hasta donde estaba Lizzie. Pero ¿por qué se reía tanto? Y ¿dónde estaba la galleta?

—Chispas, tenías que atravesar el túnel, no darle la vuelta —dijo Lizzie. De todas formas, le dio una galleta.

—Yo le mostraré —dijo Sammy pasándole la correa de Rufus a Charles—. Sígueme, Chispas.

Chispas corrió a ver lo que hacía Sammy. Antes de que nadie pudiera evitarlo, Sammy atravesó el túnel gateando.

A Chispas le pareció que el chico necesitaba ayuda. Si eso significaba que él debía meterse en el túnel, lo haría. De hecho, parecía muy divertido.

Chispas siguió a Sammy por el túnel.

—Bien hecho —gritó Lizzie. Le dio a Chispas tres galletas, pero no le dio ninguna a Sammy aunque el chico dijo querer una.

Chico intentó escapar de los brazos de Charles. Le encantaba que Charles lo cargara, pero se moría de ganas por hacer lo mismo que Chispas había hecho.

—Quieto —dijo Charles poniendo a Chico en el suelo—. Allá va Chico —añadió.

Becky soltó a Rufus y a Canela, y todos los perros corrieron hacia el túnel. Ahora sabían lo que debían hacer y se morían de ganas de atravesarlo, especialmente si Lizzie estaba al final del túnel repartiendo galletas. Muy pronto los perros comenzaron a atravesar el túnel una y otra vez. Chispas casi siempre iba al final del grupo, ladrándoles alegremente a los otros tres perros.

—Los está guiando, ¿ven? —dijo Lizzie muy orgullosa—. Chispas es un verdadero border collie.

¡Qué espectáculo! Muy pronto Stephanie, Becky, Charles y Sammy se unieron a Lizzie al final del túnel para ver a los perros pasar. Charles se echó a reír cuando vio la carita de Chico asomarse al final del túnel. El cachorrito estaba muy feliz.

Canela asomó la cabeza un momento después.

Después le tocó a Rufus.

—¿Dónde está Chispas? —preguntó Stephanie.

Los chicos comenzaron a buscarlo. ¿Dónde se había metido ese perrito blanco y negro?

No estaba en el túnel. No estaba escondido detrás de las flores. No estaba en el porche.

Chispas no estaba en el patio.

CAPÍTULO DIEZ

—Se escapó otra vez —dijo Charles.

Pero ¿cómo? El Sr. Peterson había arreglado el hoyo de la cerca. Entonces, Charles se dio cuenta de que la puerta del patio estaba abierta.

—¡Miren! La puerta está abierta —dijo—. Chispas tiene que haber encontrado una manera de abrirla.

—Ay, no —dijo Becky preocupada.

—Más vale que lo encontremos lo antes posible —dijo Stephanie.

—Tú, Sammy y Becky vayan hasta la calle Elm —le dijo Lizzie a Charles—. Nosotras iremos hasta la calle Maple.

Charles no se molestó esta vez porque Lizzie le diera órdenes. Ella tenía razón. Tenían que encontrar a Chispas lo antes posible, así que corrió a buscarlo.

—Chispas —gritó Charles.

Becky era la que corría más rápido. Salió por la puerta y desapareció por una esquina de la casa de Charles. Los otros la siguieron. Cuando Charles le dio la vuelta a la esquina, vio a Becky y a una señora que estaba inclinada sobre Chispas. El perrito estaba acostado en la acera.

Primero, Charles se quedó petrificado, pero inmediatamente después se sintió mareado. ¡Chispas estaba herido! Y todo había sido por su culpa, por no cuidarlo mejor, aunque sabía que era muy difícil cuidar a un perrito tan rápido e inteligente como Chispas. Se hubiera escapado de cualquier manera.

—Está bien —dijo Becky—. Solo está saludando.

No había ningún auto en la calle. ¡Qué suerte! Cuando Charles se acercó, vio a Chispas acostado, aullándole a Becky y a la señora.

—Qué lindo perrito —dijo la señora dándole a Chispas una palmadita en la pancita—. Estaba caminando y el perrito se acercó para que lo acariciara.

Charles suspiró aliviado.

—Bueno, me parece que ya no es tan tímido como antes —dijo sonriendo.

—Chispas realmente necesita un lugar seguro donde vivir —dijo la Sra. Peterson esa noche durante la cena—. Si no le encontramos un hogar pronto, creo que tendremos que llevarlo al refugio Patas Alegres.

Ese era el refugio donde trabajaba Lizzie como voluntaria. Era un excelente lugar, pero Charles no quería que Chispas pasara todo el día enjaulado.

—Ya encontraremos otra solución —dijo Becky muy segura y miró a Charles.

El chico se dio cuenta de que su prima estaba

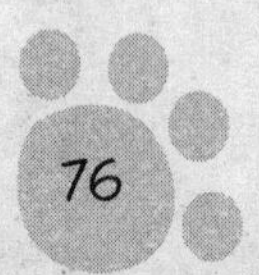

pensando en algo. Tenían que resolver el misterio que envolvía a los dueños de Chispas, y más valía que lo resolvieran pronto.

Después de la cena, los primos se sentaron frente al televisor a ver *Babe, el cerdido valiente.* Chispas parecía cansado. Tenía la cabeza recostada sobre una de las piernas de Stephanie mientras que Chico descansaba en el regazo de Charles. Lizzie puso la película y muy pronto todos quedaron hipnotizados con la historia del pequeño cerdito y el border collie.

—Mira, Chispas, ese perro es igualito a ti —dijo Stephanie. Le dio un beso al perrito en la cabeza y Chispas movió el rabo.

Cuando la película terminó, los primos fueron a la cocina a tomar helado.

—Ojalá Chispas pudiera vivir en una granja —dijo Charles sacando el helado de chocolate de la nevera—. Le encantaría guiar ovejas como el perro de la película.

—Esas ovejas tontas me recuerdan a las ovejas de la familia Barclay, siempre están perdidas —dijo Stephanie mientras servía helado de vainilla.

—¿La familia Barclay? ¿Dónde viven? —preguntó Lizzie.

—Muy cerca de nosotros en una casa igualita a la nuestra. De hecho, muchas personas tocan a nuestra puerta pensando que es la casa de la familia Barclay.

Charles miró a Becky.

—Espera, ¿qué acabas de decir? —dijo Charles poniendo a un lado la cuchara.

Becky se echó a reír.

—Que la casa de la familia Barclay es exactamente igual a la nuestra —repitió Becky y se quedó pensativa—. ¡Ay! —dijo poniéndose una mano sobre la boca—. ¡Eso es! —gritó—. ¡Murray y su esposa pensaron que nuestra casa era la casa de la familia Barclay, por eso nos dejaron a Chispas!

El misterio estaba resuelto. Al día siguiente, en vez de ir de compras, toda la familia se fue al campo a llevar a Chispas a la casa de la familia Barclay. En vez de girar a la derecha y dirigirse a casa de Stephanie y Becky, el Sr. Peterson giró a la izquierda y se detuvo al final de la carretera. La casa y el granero eran exactamente igual a los de la granja vecina, pero había una vaca pastando y algunos patos en el patio. El Sr. Peterson por poco tiene que salirse del camino de entrada cuando un rebaño de ovejas se acercó al auto.

Cuando estacionaron, Charles abrió la puerta y Chispas salió disparado como si supiera que estaba en su casa. Corrió hacia donde estaban las ovejas y comenzó a perseguirlas hasta su corral.

—¡Vamos, guíalas! —gritó el Sr. Barclay riendo.

El Sr. Barclay era un hombre alto y sonriente, que se parecía muchísimo al granjero de la película *Babe, el cerdito valiente.* Él y su esposa se pusieron muy contentos de ver a Chispas. Dijeron que Murray y Dot los habían llamado el viernes para asegurarse de que Chispas se había adaptado a su nuevo hogar. Desde entonces, lo habían estado buscando.

—No lo puedo creer —dijo el Sr. Barclay por cuarta vez y volvió a mirar a Chispas—. Lo hemos buscado por todas parte. Nunca nos imaginamos que Dot y Murray lo hubieran dejado en la casa equivocada. Cuando llamamos a su casa, nadie contestó al teléfono.

El Sr. Peterson tampoco podía creerlo. Charles deseaba que no comenzara otra vez a regañarlos por no contarles su secreto. El tío Stephen y la tía Abigail estaban fuera ese fin de semana y por eso no habían contestado el teléfono. Pero al final, el misterio se había resuelto y todo había salido bien.

Becky chocó los cinco con Charles.

—Resolvimos el misterio —dijo Becky.

—Y estamos muy contentos de que lo hayan logrado. ¡Chispas es precioso! —dijo la Sra. Barclay—. Siempre hemos tenido perros, pero el último murió hace seis meses. Necesitamos un perro que nos ayude con las ovejas. Por eso le dijimos a Murray que queríamos adoptar a Chispas. Lo que no sabíamos era que ellos se irían tan rápido.

Stephanie se agachó a abrazar a Chispas. Charles se dio cuenta de que su prima se veía muy triste.

—Podrán visitarlo cada vez que quieran —dijo el Sr. Barclay al ver la cara de Stephanie—. Lo entrenaré para que guíe a las ovejas, pero seguramente también querrá jugar.

Stephanie sonrió. Ahora parecía un poco más contenta.

—Me encantaría que aprendiera agilidad —dijo—. ¿Ha escuchado sobre eso?

—¿Que si he escuchado? —dijo la Sra. Barclay—. Me encanta. Nuestro último perro era muy bueno. ¿Te gustaría ayudarme a entrenar a Chispas? Aún tenemos muchos obstáculos en el granero.

—¿De veras? —preguntó Stephanie. Su cara se iluminó.

Charles tuvo la sensación de que su prima estaría mucho más contenta de haberse mudado al campo. ¿Qué importaba si no había tiendas? Si tenía un perrito con quien jugar, aunque no fuera suyo, Stephanie no extrañaría mucho no poder ir de compras. Quizás algún día ella y Becky tendrían su propio perro, sobre todo cuando el tío Stephen se diera cuenta de cuán responsables eran las chicas.

No solo se había resuelto el misterio sino que Chispas tenía un excelente hogar donde vivir. Además, ¡tenía un trabajo! Justo lo que necesitaba. Stephanie y Becky lo podrían ver todos los días y Charles y Lizzie lo verían cuando visitaran a sus primas. ¡La familia Peterson había ayudado a otro perrito en apuros!

CONSEJOS PARA CUIDAR UN CACHORRITO

Hay muchas cosas divertidas que puedes hacer con tu cachorrito, ¡sin importar cuál sea su raza! A los border collies como Chispas les encanta hacer ejercicios de agilidad o jugar a la pelota. A los perros con gran olfato, como los pastores alemanes, les gusta rastrear. Los golden retrievers son muy buenos siguiendo órdenes. A los que les gusta correr les puede ir muy bien en carreras en las que se persigue a un conejo mecánico. ¡Y hay perros a los que les gusta bailar con sus dueños!

Puedes averiguar más sobre todas estas actividades en la biblioteca o en Internet. O puedes, simplemente, sacar a pasear a tu cachorrito. ¡A todos los cachorritos les fascina salir a pasear!

Querido lector:

Mi perro, Django, tiene una amiga que es una border collie llamada Bodi. Ella se parece mucho a Flash: es negra y blanca y muy elegante. ¡También es inteligente y veloz! Yo creía que Django era rápido hasta que vi a Bodi persiguiendo una pelota.

A Bodi le gusta mantenerse ocupada todo el tiempo, así que es una suerte que su dueña pueda llevarla al trabajo todos los días. ¡Cualquier persona que entra en la oficina recibe un gran saludo de parte de Bodi!

Atentamente,
Ellen Miles

ACERCA DE LA AUTORA

Ellen Miles vive en Vermont. A ella siempre le han gustado las buenas historias y es la autora de varios libros de Scholastic. También le encanta montar en bicicleta, esquiar y jugar con Django, su perro. Django es un labrador negro que preferiría comerse un libro que leerlo.